1001
obrázkov skrytých
v Ríši pirátov

Text Rob Lloyd Jones
Ilustrácie Teri Gowerová

JUNIOR

Obsah

Ako hľadať

Piráti, ktorých spoznáš, sú divoká tlupa nebezpečných morských vlkov. Bažia po boji, zábave a honbe za pokladmi. Na každej dvojstránke v tejto knihe je veľa zaujímavých obrázkov vecí, ktoré patria k životu pirátov. Musíš ich nájsť a spočítať. Nájdeš až 1001 takýchto obrázkov.

Prístav pirátov

6 kotiev   5 ťažných koní   9 košíkov s rybami   5 papagájov v klietke   10 pirátskych vlajok   3 jednonohí piráti   9 zlatých kameňov   10 sudov pušného prachu   8 túlavých psov   5 pelikánov

Každý malý obrázok ukazuje, čo máš hľadať na veľkom obrázku.

Modré čísla ti vravia, koľko takýchto obrázkov máš nájsť.

Toto je Patrik, plavčík na lodi pirátov. Stále ho veľmi zamestnáva ťažká, každodenná práca piráta. Vypátraj ho na každej stránke a pomôž mu hľadať poklad na strane 30.

Život na mori

1 kapitán
pirátov

10 pásikavých
tričiek

7 zmetákov

4 ďalekohľady

 **5** fialových
klobúkov

 9 potkanov

 **7** vriec
krupice

 10 biednych
sliepok

 **3** lodné
mačky

5 pirátov
na lanoví

Kapitán oslavuje

10 lodiek vo fľaši

9 myší

7 misiek s mäskom

6 ananásov

8 kuracích stehienok

 5 jednookých pirátov

 **9** lampášov

 10 šálok s punčom

 **5** tlstých mačiek

 **3** piráti na lôžku

Útok!

10 šablí

7 spútaných väzňov

5 pästných súbojov

10 karabín

8 brokovníc

6 škrekľavých papagájov

9 lodných hákov

8 diel

4 muži na doske

9 delových gúľ

Veľké upratovanie

5 pílok 10 škvrnitých jašteríc 7 hracích kociek 4 piráti s plachtou 8 rebríkov

10 červotočov

5 smolných vedier

9 kladív

7 kief

3 ohniská

Prístav pirátov

6 kotiev

5 ťažných koní

9 košíkov s rybami

5 papagájov v klietke

10 pirátskych vlajok

3 jednonohí piráti

9 zlatých kameňov

10 sudov pušného prachu

8 túlavých psov

5 pelikánov

Škola pirátov

7 pirátov
učiteľov

6 žltých
lán

7 člnov

5 mláďat
papagájov

8 drevených
šablí

4 cvičné
delá

3 námorné
mapy

10 písacích
bŕk

8 prakov

Preteky pirátov

4 piráti
na lyžiach

6 korytnačiek

4 piráti
potápači

10 pirátskych
rukávnikov

9 morských
čajok

7 delfínov

2 surfové
plaváky

8 modrých
šortiek

1 cieľová
zástavka

10 chumáčov
chalúh

Ostrov pokladov

4 mapy pokladu

6 tukanov

8 kokosových orechov

9 opíc

10 rýľov

2 stroskotanci   7 krompáčov   9 krabov   10 leguánov   1 značka pokladu

Slávnosť pirátov

10 pirátskych párty klobúkov

4 kotúľajúce sa sudy

3 huslí

9 kvetinových girlánd

5 tancujúcich opíc

9 tanierov
so zákuskami

7 lampiónov

6 bubienkov

8 lízaniek

10 balónov

Príšery z hlbín

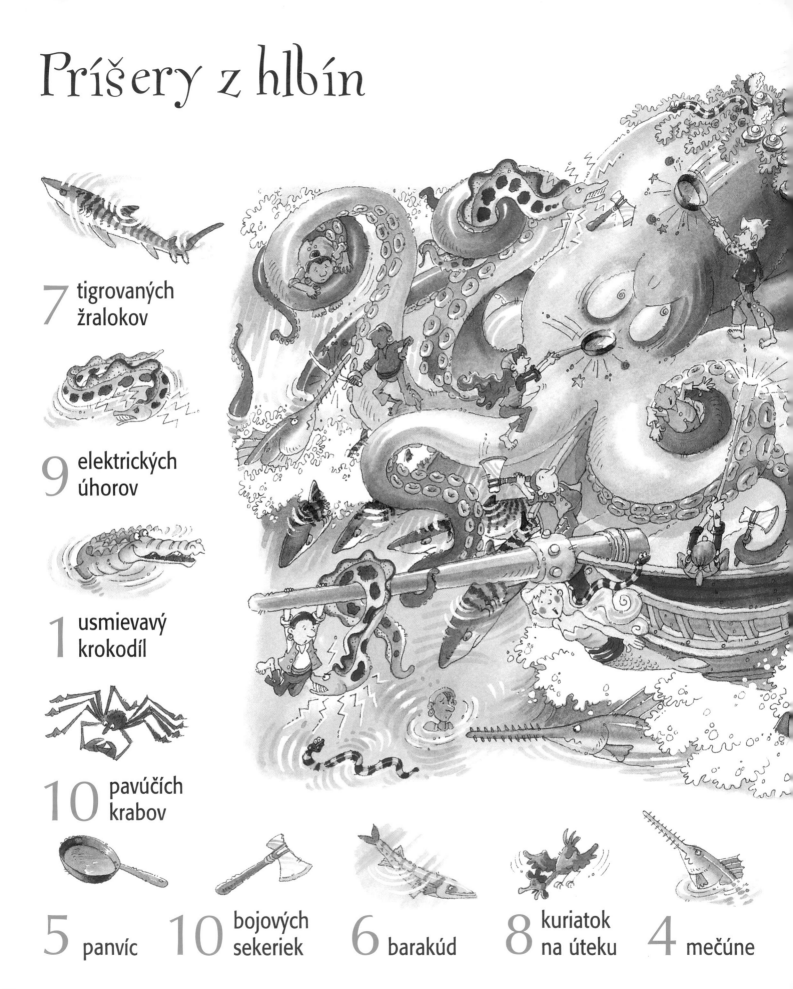

7 tigrovaných žralokov

9 elektrických úhorov

1 usmievavý krokodíl

10 pavúčích krabov

5 panvíc

10 bojových sekeriek

6 barakúd

8 kuriatok na úteku

4 mečúne

22

10 morských
hadov

Loď duchov

9 kostier pirátov

4 múmie

9 duchov pirátov

5 roztrasených pirátov

6 supov

9 upírich netopierov

10 obrovských pavučín

8 pavúkov bubákov

3 desivé truhly

6 upírich potkanov

Rozbúrený oceán

10 mužov cez palubu

5 vedier

4 ohnivé blesky

8 záchranných kolies

5 pirátskych dáždnikov

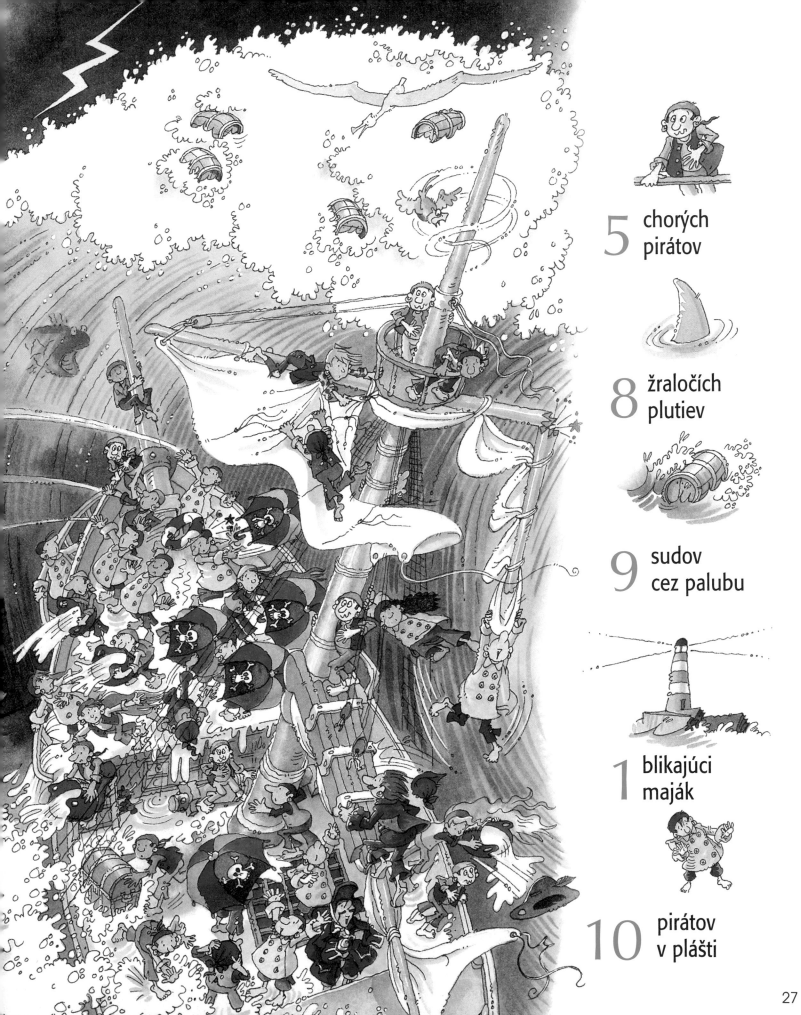

5 chorých pirátov

8 žraločích plutiev

9 sudov cez palubu

1 blikajúci maják

10 pirátov v plášti

Lodný vrak

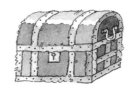

1 truhlica
s pokladom

4 chobotnice

7 zničených
diel

6 hrdzavých
šablí

10 zlatých
kameňov

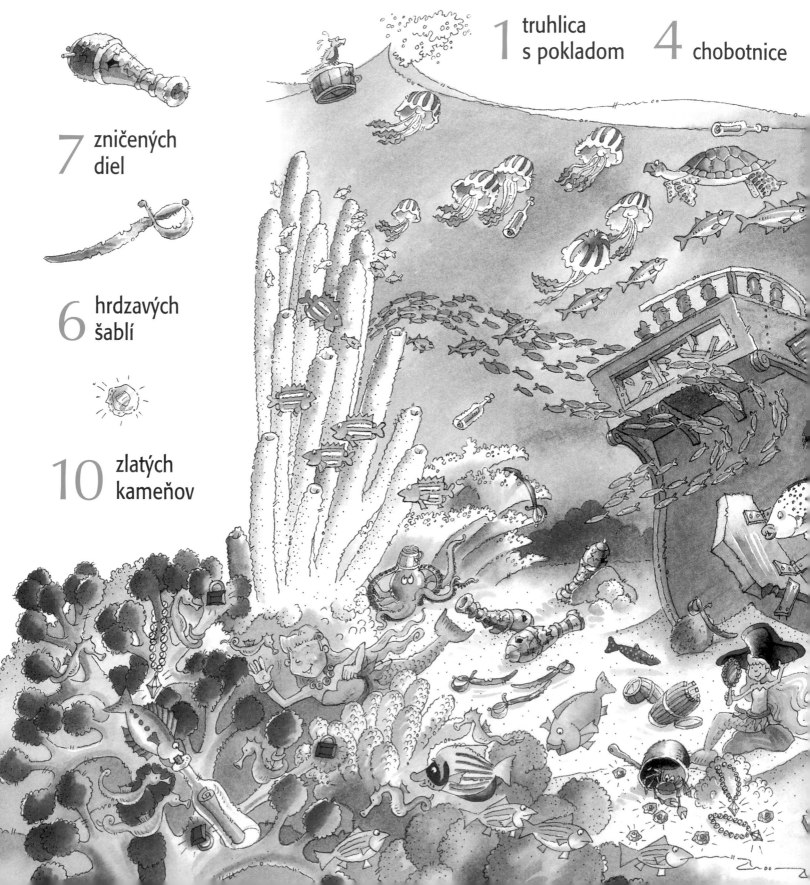

 9 morských panien

 10 medúz

 8 morských koníkov

 5 fliaš so správou

 7 klaunov očkatých

Hľadanie pokladu

Patrik našiel na pláži vyplavenú drevenú truhlicu. Bola plná jagavých drahocenností ukoristených pirátmi pri ich výpravách. Vráť sa naspäť stránku po stránke a nájdi ich všetky.

7 strieborných džbánov

10 zlatých tehličiek

9 smaragdov

5 zlatých kompasov

6 mušlí s perlou

3 zlaté medaily

9 strieborných lyžíc

7 lastúr

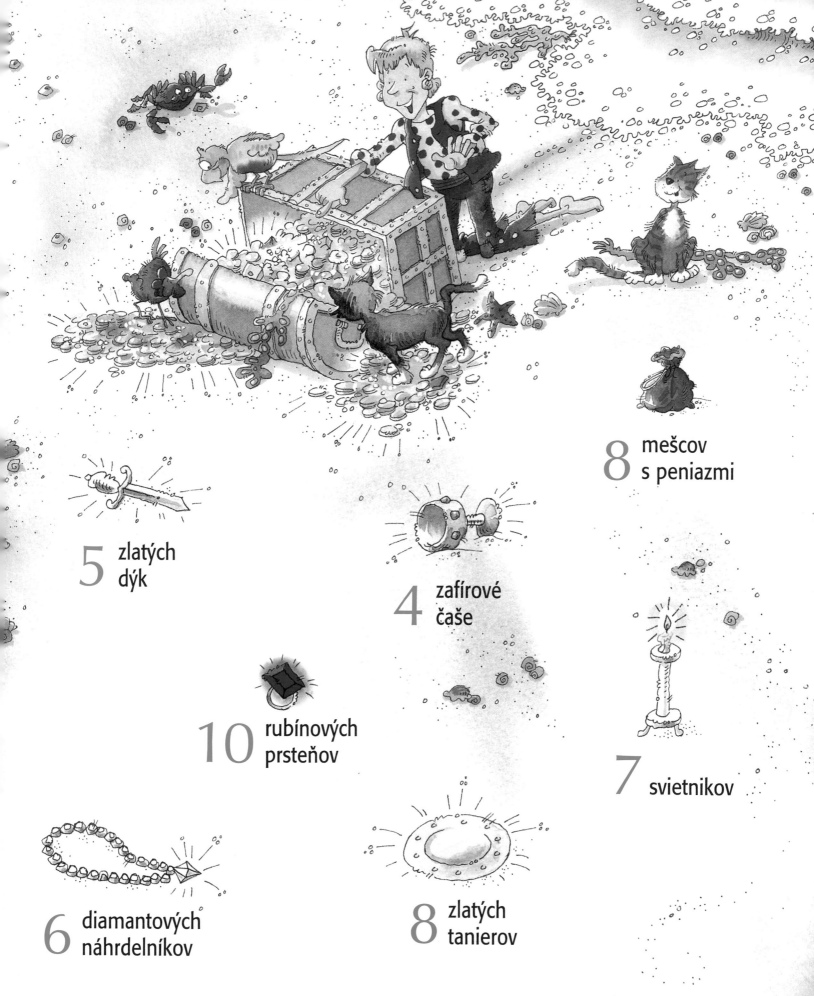

5 zlatých dýk

4 zafírové čaše

8 mešcov s peniazmi

10 rubínových prsteňov

7 svietnikov

6 diamantových náhrdelníkov

8 zlatých tanierov

31

Riešenia

Podarilo sa ti nájsť všetky časti pokladu? Ak nie, tu je pomôcka, kde ich hľadať:

7 strieborných džbánov
Kapitán oslavuje
(strany 6–7)

10 zlatých tehličiek
Veľké upratovanie
(strany 10–11)

9 smaragdov
Rozbúrený oceán
(strany 26–27)

5 zlatých kompasov
Škola pirátov
(strany 14–15)

3 zlaté medaily
Preteky pirátov
(strany 16–17)

6 mušlí s perlou
Príšery z hlbín
(strany 22–23)

9 strieborných lyžíc
Slávnosť pirátov
(strany 20–21)

7 lastúr
Ostrov pokladov
(strany 18–19)

5 zlatých dýk
Útok!
(strany 8–9)

4 zafírové čaše
Život na mori
(strany 4–5)

8 mešcov s peniazmi
Prístav pirátov
(strany 12–13)

10 rubínových prsteňov
Lodný vrak
(strany 28–29)

7 svietnikov
Loď duchov
(strany 24–25)

6 diamantových náhrdelníkov
Lodný vrak
(strany 28–29)

8 zlatých tanierov
Kapitán oslavuje
(strany 6–7)

Copyright © 2007 Usborne Publishing Ltd.
© Vydavateľstvo Junior, s.r.o.
Zadunajská cesta 8, 851 01 Bratislava
www.junior.sk

Text © Rob Lloyd Jones
Ilustrácie © Teri Gowerová
Grafická úprava Teri Gowerová a Michelle Lawrenceová
Preklad Adriana Talašová

Všetky práva vyhradené

ISBN 978-80-7146-855-4